C'est l'histoire d'un ours

À Geneviève Després,
grâce à qui l'ours a retrouvé sa joie.
Et moi aussi…
DOMINIQUE

Pour tous les enfants affectés par
la violence ou la guerre, qui ont droit,
eux aussi, à l'imaginaire et aux rêves.
GENEVIÈVE

Catalogage avant publication de
Bibliothèque et Archives nationales du Québec
et Bibliothèque et Archives Canada

Demers, Dominique
C'est l'histoire d'un ours
Pour enfants de 3 ans et plus.
ISBN (rose) 978-2-89739-586-5
ISBN (bleu) 978-2-89739-196-6
I. Després, Geneviève. II. Titre.
PS8557.E468C4 2016 jC843'.54 C2015-942307-4
PS9557.E468C4 2016

Direction littéraire : Agnès Huguet
Révision et correction : Béatrice M. Richet
Direction artistique et graphisme : Primeau Barey
Droits et permissions :
barbara.creary@dominiqueetcompagnie.com
Service aux collectivités :
espacepedagogique@dominiqueetcompagnie.com
Service aux lecteurs : serviceclient@editionsheritage.com

Dépôt légal : 1er trimestre 2016
Bibliothèque et Archives nationales du Québec
Bibliothèque et Archives Canada

Dominique et compagnie
1101, avenue Victoria
Saint-Lambert (Québec) J4R 1P8
Téléphone : 514 875-0327
Télécopieur : 450 672-5448
dominiqueetcompagnie@editionsheritage.com

Imprimé en Chine

Nous reconnaissons l'aide financière du gouvernement
du Canada par l'entremise du Fonds du livre du Canada.

Nous reconnaissons l'aide financière du gouvernement
du Québec par l'entremise du Programme de crédit d'impôt
– SODEC – Programme d'aide à l'édition de livres.

Nous remercions le Conseil des arts du Canada de l'aide
accordée à notre programme de publication.

C'est l'histoire d'un ours

Texte : Dominique Demers
Illustrations : Geneviève Després

C'est l'histoire
d'un ours triste.

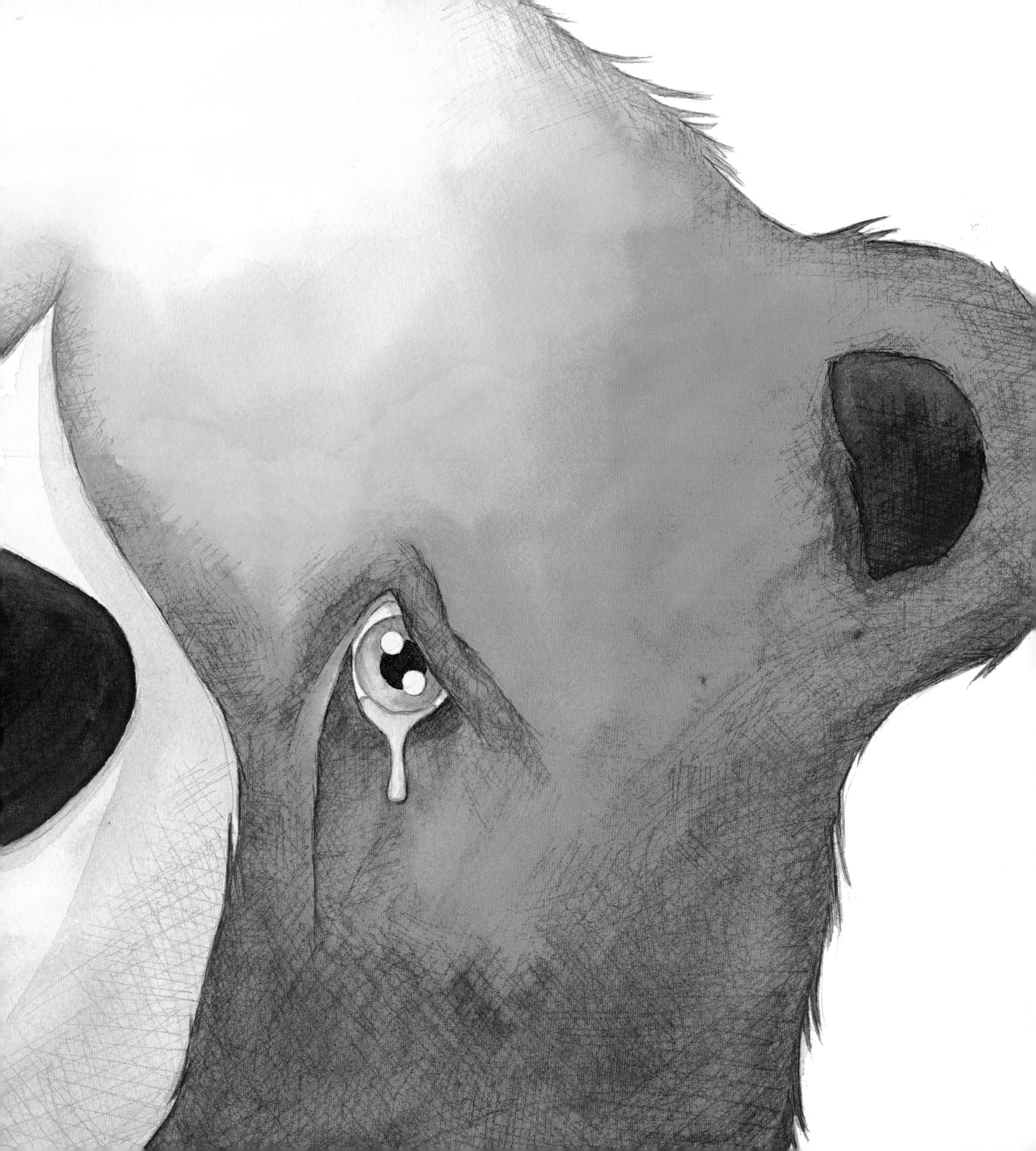

Des chasseurs l'ont capturé et mis en cage.
Derrière les barreaux, l'ours ne bouge pas.

Il s'ennuie de sa forêt.
Des arbres, des fleurs, des abeilles, des oiseaux
et du ruisseau.

Les visiteurs admirent l’ours. Si grand, si gros, si beau.
Mais pourquoi reste-t-il immobile ?

– Remue un peu, gros paresseux ! lancent-ils.

Un jour, un enfant s'installe sur
un banc, devant l'ours, avec un objet.

C'est un livre. Mais l'ours ne le sait pas.

Le petit enfant reste immobile.
Il tourne les pages.

C'est tout. Il est bien.

– Viens, Lou, dit maman.
– Dépêche-toi, dit papa.

Lou ferme lentement l'étrange objet qui est un livre même si l'ours ne le sait pas.

Le petit enfant lève les yeux et aperçoit l'ours triste. Il comprend aussitôt. Alors, en secret, il glisse le livre entre les barreaux.

L'ours tente d'ouvrir l'étrange objet. C'est un peu difficile avec ses grosses pattes. Mais il veut absolument imiter le petit enfant qui avait l'air si bien.

Sur la première image, l'ours découvre un ciel immense, de l'eau et un tout petit bateau.

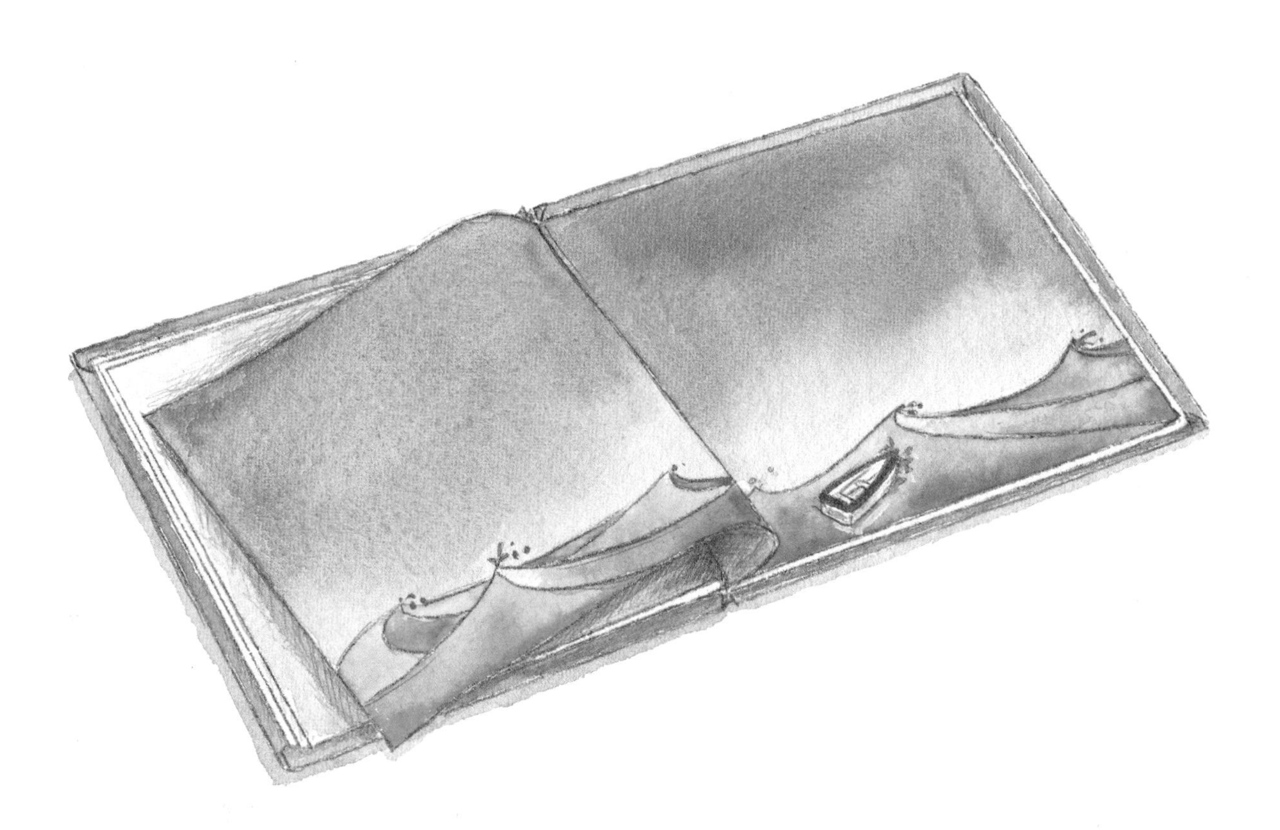

L'ours se met à rêver. À lui, dans ce tout petit bateau.

Il tourne la page. Oh ! Une forêt ! L'ours adore les forêts.

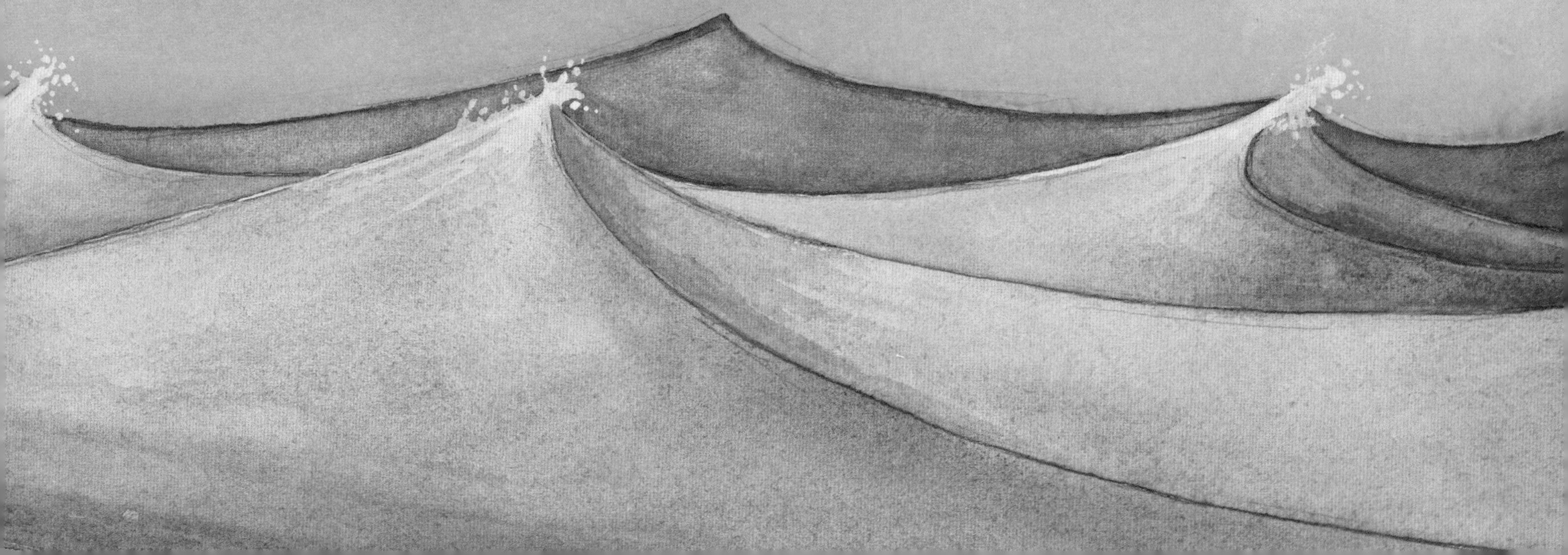

À la page suivante,
l'ours a un tout petit
peu peur.

À celle d'après, il rit !

Là, il est surpris.

Ici, il pleure.

Aaaah ! Il a vraiment très peur...

Ooooh ! Il est ravi !

Arrivé à la fin du livre, l'ours recommence depuis le début.

C'est aussi bon. Peut-être même encore mieux.

L’ours dessine maintenant
une image dans sa tête.

Sans papier ni crayon.

Juste avec son imagination.

Dans sa tête, l’ours dessine
un enfant. Un petit Lou.

Un arbre.

Quelques feuilles.

Il ajoute du vent.

Les visiteurs défilent.

– Bouge un peu, gros paresseux ! lancent-ils à l'ours immobile.

L'ours sourit. Il n'est plus en prison.

L’ours vient d’attraper une feuille.

– Viens, Lou.

Oh ! Comment est-ce possible ?

Ils s’élèvent dans le ciel, portés par la feuille minuscule.

Ils volent au-dessus de la forêt que l’ours aime tant.

C’est… merveilleux !

L'histoire de l'ours pourrait se terminer ici.

Mais non ! Elle continue. Parce que Lou a grandi.

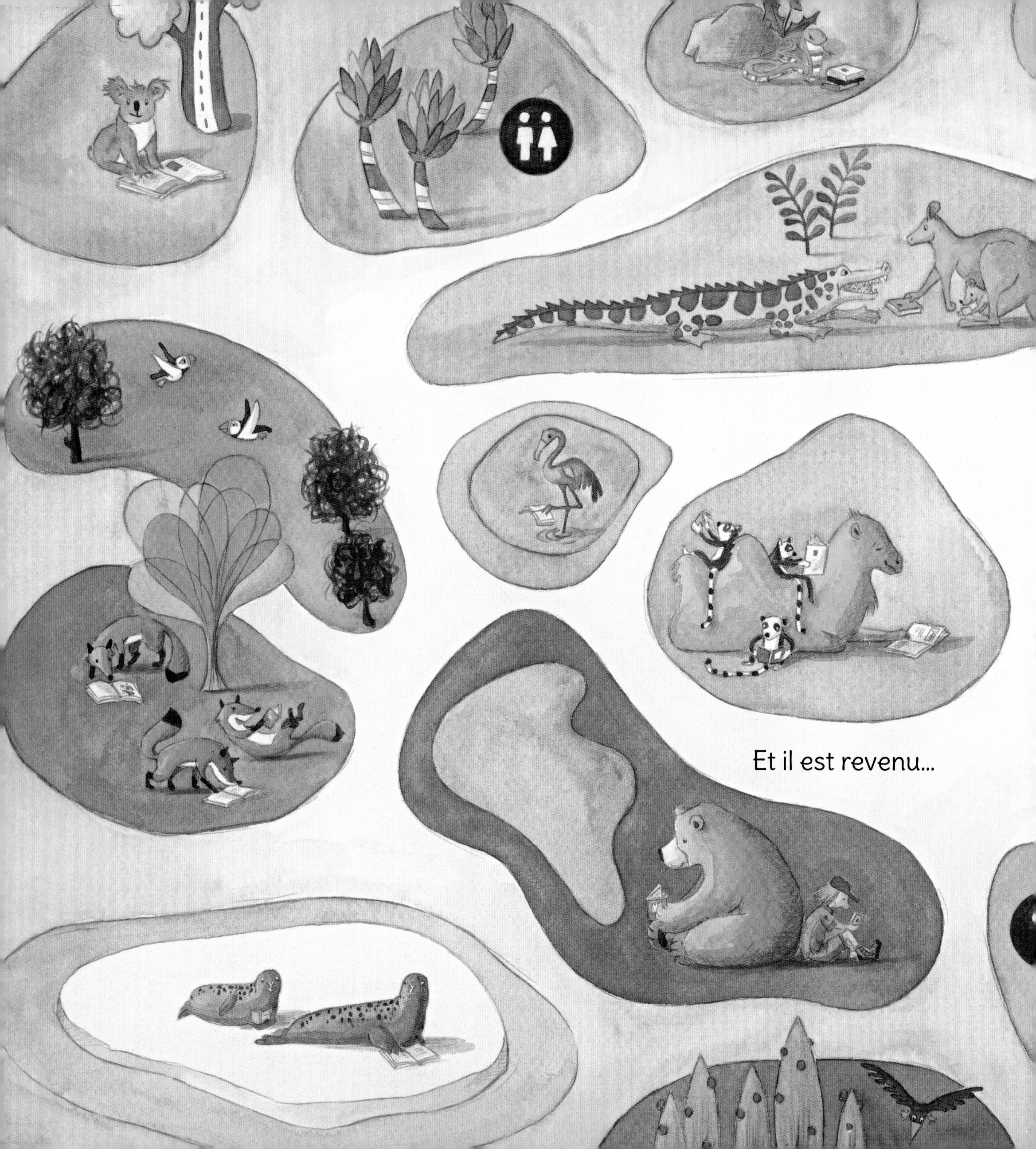

Et il est revenu…

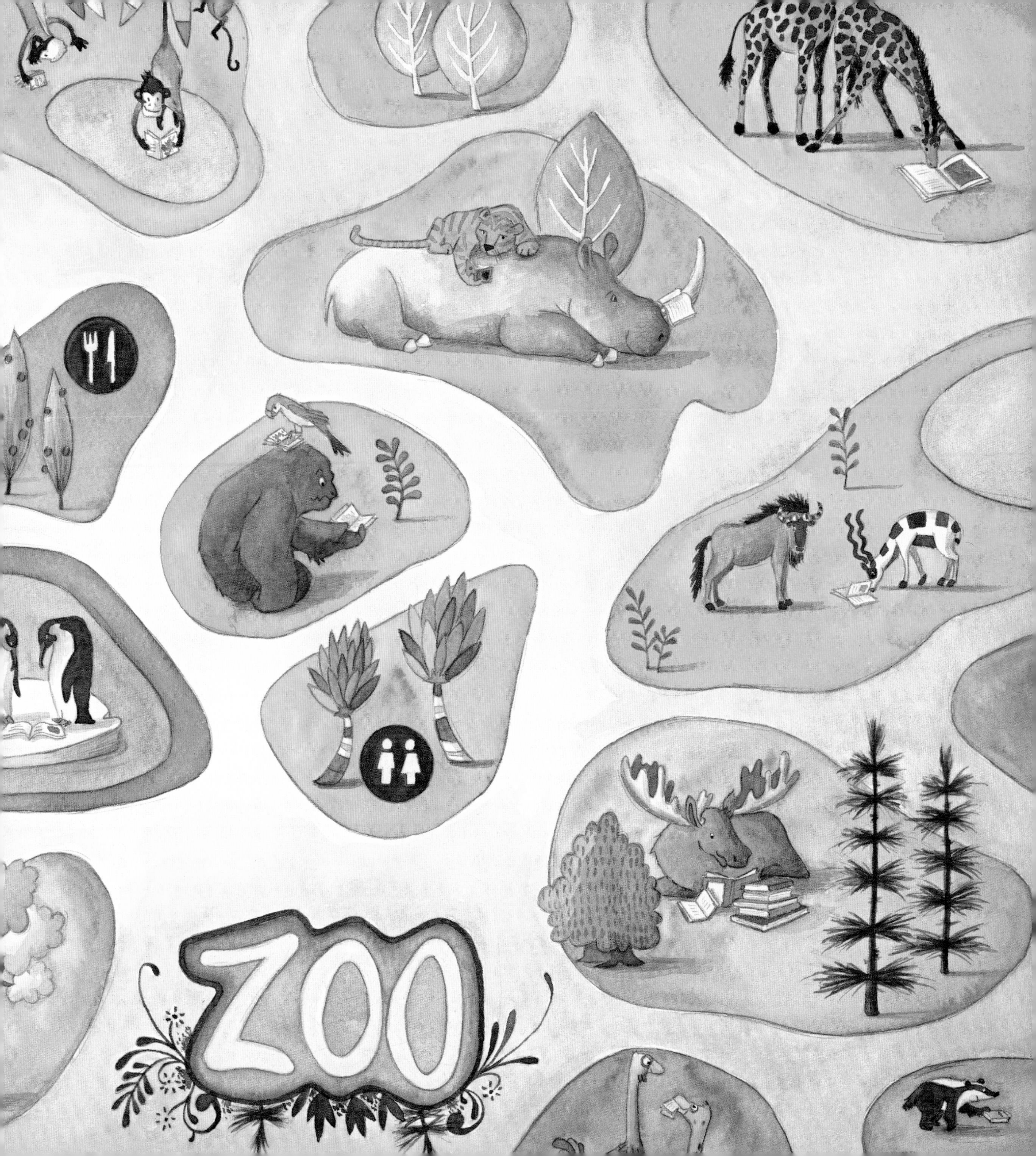
ZOO

Avec un brin d'imagination,
on n'est jamais en prison.